MARIa
**BIBLIOTECA**
ALBERTA
MENERES

1ª edição: 1989

33ª edição: Maio de 2007
Depósito legal nº 257681/07
ISBN: 978-972-41-0475-1
**Reservados todos os direitos**

**ASA Editores, S.A.**

SEDE

Av. da Boavista, 3265 – Sala 4.1
Telef.: 226166030 • Fax.: 226155346
Apartado 1035 / 4101-001 PORTO
PORTUGAL

E-mail: edicoes@asa.pt
Internet: www.asa.pt

DELEGAÇÃO EM LISBOA

Av. Eng. Duarte Pacheco, 19 – 1º
Telef.: 213802110 • Fax: 213802115
1070-100 LISBOA
PORTUGAL

BIBLIOTECA

# MARIA ALBERTA MENÉRES

## Ulisses

Ilustrações
Isabel Lobinho

EDIÇÕES

ASA

# INTRODUÇÃO

Fascinantes são as aventuras de Ulisses. Através dos tempos, muitos foram os escritores que elas inspiraram. Contadas pela primeira vez por Homero, grande poeta grego, no seu livro "Odisseia", estas aventuras ainda não deixaram de percorrer, pelos caminhos da imaginação, um mundo muito maior do que o percorrido pelo próprio Ulisses. Escrevê-las para crianças, também é outra aventura.

E Ulisses, existiu? E Homero, existiu? E o Sol, existe? E a Lua, existe? E o mar, existe?

Há muitos milhares de anos, um poeta grego, Homero, contou-nos no seu livro *Odisseia* a história de Ulisses que andava no mar, gostava do Sol, desejava a Lua.

É esta história que eu vos vou contar. Quem conta, é bem certo que acrescenta um ponto. Oh, mas quando eu conto, são tantos os pontos sempre a acrescentar, que mesmo com esforço não conseguiria nunca tais pontos... bem, todos os pontos contar!

Ulisses vivia numa ilha grega que se chamava Ítaca, muito feliz com sua mulher Penélope e seu filho ainda muito pequenino, Telémaco.

Ulisses era o rei dessa pequena ilha, mas não um rei de coroa e manto, muito solene. Tão depressa se divertia a amansar um cavalo, como ia à caça com os amigos, ou conversava com o povo. Todos o amavam. Para ele não havia terra no mundo igual a Ítaca. Ele dizia: «Ítaca é agreste mas criadora de moços vigorosos, e para mim não há terra que tanto me encante os olhos.»

Ele próprio era, na realidade, um moço vigoroso e valente, sempre desejoso de correr mundo, de viver as mais inesperadas aventuras. Quando estava junto da família, na Ítaca linda de intenso azul de céu azul e calma de mar calmo, só pensava em ir ao encontro do desconhecido; mas quando se via em plena aventura, só desejava voltar para casa, para junto dos seus, onde sabia haver serenidade e encanto.

Ora um dia aconteceu que Páris, príncipe troiano, raptou a lindíssima rainha grega Helena e a levou para Tróia. Isto fez com que troianos e gregos se envolvessem em violenta guerra. Ulisses, como bom grego e valente, tinha de ir para a guerra também,
tinha de ir cercar Tróia.

Mas ficou muito aborrecido com tal coisa, porque não gostava nada destas confusões, e o que o entusiasmava era
o mar
só o mar
o mar
o só mar.

E então, em vez de ir buscar a arma como era seu dever, fingiu que estava doido, ele, o rei daquela ilha, que tinha endoidecido de repente, e foi para o campo lavrar o campo...

Quando as pessoas viram aquilo ficaram tristes: Ulisses tinha perdido o seu bom juízo!

Logo uns amigos dele disseram:

—Isto é manha! Todos nós sabemos que ele não gosta lá muito de guerras! Deve estar a fingir. Não esqueçam que Ulisses é manhoso!

E resolveram ver se descobriam se ele estava mesmo doido ou não. Foram buscar o seu filho pequenino, Telémaco, puseram-no no meio do campo exactamente no caminho que Ulisses tinha de lavrar com a charrua com que andava. Ulisses bem viu a manobra, e pensou:

—Que quererão eles com isto? Mau!...

O que é certo é que ao chegar ao lugar onde estava o filho deitado no chão sorrindo para o ar, Ulisses viu que se continuasse a lavrar normalmente como até aí, teria de ferir ou até talvez matar o menino com o bico aguçado da charrua—e então olhou disfarçadamente para todos os lados...Como não visse ninguém, fez um desvio de maneira a não tocar no pequenino. Logo imediatamente de trás de umas árvores saltaram os seus amigos a gritar:

—Vêem? Vêem como ele não está nada doido? Se estivesse doido não se importava com o filho, nem se o podia ferir, e nem sequer o reconheceria...

Ulisses começou a rir e disse:

—Bom, vamos lá embora! Eu vou convosco, pronto, mas olhem que preferia mil vezes ir viajar por terras e mares desconhecidos, do que ir combater contra esses troianos...

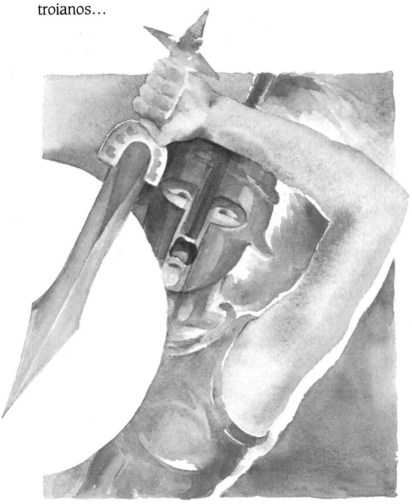

E lá foi. Nos seus barcos os gregos embarcaram para Tróia pensando alegremente que iam ter uma vitória fácil e em breve regressariam ao lar. Mas quê? Seria esta uma luta que havia de durar dez anos. Dez anos sem os gregos verem a pátria, a família. A certa altura já ninguém sabia suportar a saudade, o esforço de manter um cerco durante tanto tempo. Aquilo não podia continuar assim!

Então Ulisses, que todos diziam ser o mais manhoso dos homens, pensou, pensou e teve uma ideia: construir um enorme, um gigantesco cavalo de pau, assente num estrado com rodas para se poder deslocar, e dentro do bojo, ou seja, da barriga desse cavalo, se esconderem alguns homens.

Mas para que seria este cavalo? Ulisses imaginou que os gregos deviam fingir que iam todos embora dali e deixar às portas de Tróia o monumental cavalo sozinho... em ar de homenagem!

Depois de o construírem, assim fizeram. E levantaram as suas tendas de dez anos, cavalos verdadeiros, tudo. A pouco e pouco foram-se retirando e desapareceram ao longe nas colinas, na distância.

Os troianos viram aqueles preparativos de partida com imensa surpresa e sem perceberem nada do que estava a acontecer. Viram os gregos, depois de dez anos, a ir embora e a largar as suas portas. Mas como sabiam que eles não eram cobardes, ficaram desconfiados e atentos.

Passaram dois dias
    três dias
      quatro dias
e os troianos convenceram-se então que os gregos tinham partido de verdade e não voltavam mais. Abriram muito devagarinho as portas da muralha, e qual não foi o seu espanto quando viram ali mesmo, parado, imponente, brilhando ao sol, um cavalo de pau! Dentro deste cavalo estava Ulisses e alguns dos seus companheiros, muito quietinhos. Junto de uma das patas traseiras do cavalo havia uma porta que se abria por dentro. Os troianos ficaram pasmados a olhar para o cavalo.

—Queima-se!—disseram uns.

E os gregos lá dentro, ao ouvir isto, ficaram apavorados.

—Destrói-se com os machados!—gritaram outros. E eles lá dentro...

Até que alguém se lembrou:—Não! É um cavalo muito bonito, e vamos oferecê-lo aos nossos deuses em agradecimento pela vitória que nos concederam, pois não há dúvida que os gregos desistiram de nos vencer depois de tantos anos e nos ofereceram este cavalo em ar de homenagem!

—Isso mesmo, isso mesmo!—gritaram todos.

E lá dentro do cavalo, Ulisses e os companheiros respiraram aliviados.

Eu não sei se vocês sabem que tanto os Gregos como os Troianos não adoravam um só deus—adoravam muitos deuses, e por isso dizemos que eles eram politeístas.

Então os troianos arrastaram o cavalo para dentro das muralhas da cidade e colocaram-no na praça principal.

Nessa mesma noite começaram os festejos em honra dos deuses.

Beberam, comeram, oferecaram sacrifícios...

Beberam, comeram, dançaram...

Um dia

    dois dias

        três dias se passaram. Estavam já todos caídos pelos cantos, cansados, sem defesa, plenamente confiantes na vitória.

E de repente... já sobre a madrugada, quando tudo subitamente como que por encanto serenou, Ulisses abriu devagarinho a tal porta cortada junto da perna

do cavalo, espreitou e, não vendo ninguém de guarda, saltou para o chão—e o mesmo fizeram os seus companheiros que estavam ali com ele dentro do bojo do cavalo. Abriram as portas da cidade de Tróia e entretanto os soldados gregos que ao sinal de súbito silêncio tinham voltado para trás, e em grandes colunas através das colinas se haviam aproximado da cidade, sem tendas, sem cavalos, só com as armas na mão, entraram dentro de Tróia!

Só lhes digo: foi a destruição completa desta cidade. Dizem que não ficou pedra sobre pedra...

Os gregos libertaram Helena, a rainha grega de beleza célebre, e Ulisses ficou a ser conhecido como «O destruidor de Tróia», pois graças à sua astúcia é que foi possível tal vitória.

Cheios de saudades, os gregos meteram-se nos barcos e dirigiram-se para as suas terras. Ulisses lembrava-se de Penélope e do filho que deixara tão pequenino.

Reuniu-se com quarenta valentes marinheiros e lá foram num belo navio em direcção a Ítaca. Os Gregos eram um povo de marinheiros destemidos. Eles cruzavam os mares, tal como os Fenícios, os Cartagineses, e mais tarde nós, os Portugueses.

Agora em pleno mar, Ulisses só pensa em regressar à pátria. Mal ele sabe que só lá chegará daí a muitos anos...

Lá iam a caminho de Ítaca, pelo mar fora, vencendo vento e vento através de onda e onda.

De súbito começaram a notar que o navio estava a ser arrastado por uma estranha corrente submarina que os ia levando para onde eles não queriam ir. E de tal maneira que se acaso obrigassem o navio a seguir a direcção que pretendiam, este corria o risco de se virar. Então Ulisses decidiu:

—Não vale a pena resistirmos agora. Deixemo-nos ir nesta corrente, e quando ela abrandar retomaremos o rumo de Ítaca.

Assim fizeram. Mas a corrente não abrandava nunca.
Aumentava
   aumentava
      aumentava...
Já iam longe de tudo, mesmo de encontro ao desconhecido. Começaram a avistar terra: era uma ilha onde o navio calmamente aportou. Aí já a corrente misteriosa abrandara. Ulisses olhou em volta e de repente deu um grande grito:

—Ai, meus amigos, onde nós viemos parar!

—Onde foi? Onde foi?—perguntaram os marinheiros, aflitos.

—Olhem, viemos parar à Ciclópia, às ilhas da Ciclópia. Mas esperem, que... se não me engano, tivemos uma sorte espantosa!

—Uma sorte espantosa?!—admiraram-se os marinheiros.

—Sim—explicou Ulisses.—Aqui é realmente o arquipélago da Ciclópia. Tudo neste lugar é gigantesco, é ciclópico: os animais, as plantas, as pedras... Os seus habitantes são os ciclopes, espécie de gigantes com um só olho no meio da testa, e que são devoradores de homens...

—Devoradores de homens?!—gritaram os marinheiros, espavoridos.

—Sim, mas acalmem-se, porque esta é a única ilha desabitada. Já aqui passei uma vez ao largo, e sei isso muito bem.

Todos sossegaram então um pouco, e como realmente não aparecesse ninguém por ali, resolveram sair e ir apanhar alguma fruta fresca, beber água pura!

Aventuraram-se também a percorrer a ilha deserta. Mas antes de saírem, Ulisses lembrou que era melhor levarem um pequeno barril de vinho que traziam no navio, pois podia apetecer-lhes. Assim fizeram.

Começaram a explorar a ilha, todos contentes e cada vez mais descansados.

A certa altura, depois de terem subido uma pequena colina, ao descerem a vertente do lado de lá viram-se de repente no meio de um enorme rebanho de ovelhas, cabras e carneiros. E o pior de tudo é que avistaram mesmo no meio do rebanho, sentado num rochedo altíssimo, um ciclope formidável!

Ele estava tão entretido a aparar um tronco de árvore para fazer uma flauta, como é hábito os pastores fazerem de palhinhas, que nem deu por eles.

Apavorados, quiseram fugir. Mas era tarde, pois se tentassem voltar para trás e o ciclope os visse, o que era quase inevitável, nem um bocadinho se lhes aproveitava! Esconderam-se então no meio do rebanho, e como reparassem que ali ao lado havia uma entrada de uma gruta enorme, para lá se dirigiram todos rastejando com muita cautela para o monstro não os ver.

Chegaram à gruta e lá dentro respiraram. Pelo menos por uns tempos estavam a salvo, pois o ciclope não os tinha pressentido.

Agora pergunto-vos eu: E os ciclopes, existem? Os ciclopes existiam, sim, mas na imaginação dos primeiros marinheiros. Eles não conheciam bem o mar, acreditavam em correntes misteriosas, em deuses que protegiam ou perseguiam os homens, em monstros, em sereias que encantavam com a sua voz doce... Inventavam razões para os naufrágios, deixavam correr livremente a sua imaginação! O ciclope era para os Gregos destes tempos o mesmo que o gigante Adamastor foi para os Portugueses: duas imagens criadas por dois poetas, Homero e Camões, para nos falar do medo do desconhecido.

Mas voltemos a Ulisses e aos seus companheiros.

Lá dentro da gruta combinaram que ao começar a cair a noite se escapariam em direcção ao navio e fugiriam dali a sete pés, porque afinal aquela ilha também era habitada, e por UM CICLOPE enorme!

Ulisses pensava: «Como é possível haver aqui um ciclope? O que terá acontecido? Muito eu gostava de saber!»

Ele realmente não sabia o que eu vos vou contar: Ulisses tinha razão quando pensara que ali não havia ciclopes, pois eles habitavam mesmo em todas as outras ilhas do seu arquipélago da Ciclópia. Mas havia entre eles um que era

mais forte do que todos

mais cruel do que todos

mais bravo do que todos

e que era o terror!!!!! de todos. Chamava-se Polifemo e tinha um mau génio horrível. Zangava-se por tudo e por nada, e depois dava murros para

a

esquerda,

murros para

a

direita,

e já só havia por aquelas paragens ciclopes de cabeças partidas, braços ao peito, pernas cheias de nódoas negras, sem dentes—um horror! É verdade que o Polifemo depois arrependia-se, mas o mal já estava feito.

Então os ciclopes tinham-se reunido e dito para o Polifemo:

—Olha, o melhor é tu viveres sozinho. Nós levamos-te o rebanho para aquela ilha deserta de além, e tu vives lá.

Assim foi. Todas as noites se ouvia:

—Estás bom, Polifemo?

—Estou. E vocês?

—Estamos bem. Boa noite!

—Boa noite!

E pronto: já não havia desordens nem lágrimas. E assim viviam já há uns tempos perfeitamente em paz de ciclopes.

Ora, foi este Polifemo que os nossos amigos foram encontrar ali.

Mas voltando à história: já era quase noite, e Ulisses e os seus companheiros resolveram abandonar a gruta e correr até ao navio.

Precisamente no momento em que começavam a sair, eis que começaram a entrar as ovelhas, as cabras, os carneiros... e o Polifemo. Só tiveram tempo para se esconder atrás deste ou daquele pedregulho, dos muitos que havia espalhados por ali.

Calculem onde eles tinham ido parar: à própria caverna onde morava o ciclope!

Quando o Polifemo entrou, trazia um veado morto às costas, que ele tinha apanhado para a sua ceia. Nem reparou nos homens. Foi ordenhar as ovelhas e as cabras, guardou o leite em grandes vasilhas, e depois foi acender uma fogueira no meio da gruta, e nela pôs o veado a assar. Depois, cansado, sentou-se ali no chão.

De repente—o que viu ele? Sombras de homens dançando na parede mesmo na sua frente, sombras de homens que se escondiam entre a fogueira e a parede...

Deu um salto e começou a gritar:

«HOMENS... H O M E N S ... H O M E N S ...»

Pegou num grande pedregulho e com ele tapou a entrada da gruta. Depois começou a agarrar um homem, outro homem, e a engoli-los inteiros! E mais outro, e mais outro...

Os marinheiros começaram a gritar apavorados, e a correr doidamente pela gruta em todas as direcções, e mais facilmente ele os ia apanhando a um e a outro. Os fortes marinheiros pareciam bonecos nas suas mãos brutais, ou uvas que com os seus dedos peludos ele ia colhendo e depois engolindo sofregamente.

Ulisses tremia de medo e encolhia-se no seu esconderijo. O pânico tomava conta dos marinheiros e parecia não haver salvação para nenhum. Já uns nove homens tinham desaparecido nas goelas do monstro e já este começava a não querer agarrá-los...

Agora já muito empanturrado, só queria era dormir.

Dirigiu-se pesadamente para um canto da caverna e ali se sentou.

Ulisses, quando o viu mais calmo, saiu do seu esconderijo para lhe falar. E a conversa desenrolou-se assim:

ULISSES—Ouve lá, ouve lá, não me comas, não me comas, que eu quero falar contigo.

POLIFEMO—O que é que tu me queres, pigmeu?

ULISSES—Bem... tu já comeste tanta carne humana, com certeza deves sentir sede...

POLIFEMO—Sede?! Tenho, tenho sede... Mas se julgas que vou buscar água lá fora para vocês se escaparem daqui, estás muito enganado!

ULISSES—Não é nada disso. É que eu tenho ali um vinho muito bom para ti, mas só to dou a beber se me fizeres um favor...

POLIFEMO—Vinho?! Que é isso?

ULISSES—É uma bebida muito agradável. Queres experimentar?

POLIFEMO—Quero. E que favor é que tu vais pedir-me?

ULISSES—Que nos deixes sair daqui vivos estes poucos que somos já...

POLIFEMO—Olha que ideia! Esse favor não te faço eu. Mas prometo fazer-te um favor que te digo qual é depois de beber o vinho. Dá-me lá esse tal vinho! DÁ-ME ESSE VINHO JÁ, JÁ...

Ulisses mandou logo que trouxessem o barril de vinho e o estendessem ao ciclope, que o pôs à boca e

deu muitos estalinhos com a língua e bebeu tudo até à última gota!

POLIFEMO—Isto é bom, muito bom mesmo. Foste simpático para mim e por isso vou fazer-te o favor que te prometi. Sabes qual é? Tu vais ser o último de vocês todos que eu vou comer!

ULISSES—O quê? Isso é verdade? Então tu tencionas comer-nos a todos?

E ele e os outros marinheiros começaram a gritar, a chorar, a pedir em altos brados socorro aos seus deuses.
Ulisses, no entanto, resolveu ver se conseguia ainda alguma coisa do ciclope, e começou a conversar de novo com ele. Perguntou-lhe por que razão se encontrava ele ali sozinho naquela ilha, e como se chamava. O gigante contou-lhe tudo e disse que se chamava Polifemo. E depois foi a vez de ele perguntar a Ulisses como é que ele se chamava. Ora Ulisses nunca dizia quem era, nunca gostava de dizer o seu nome, e principalmente numa ocasião daquelas, em que com toda a razão se via perdido tão desgraçadamente... Que ao menos nunca ninguém soubesse o triste fim que Ulisses, o herói, tinha tido!
Então ali de repente tentou lembrar-se de um nome qualquer para enganar o ciclope, um nome

qualquer
        um nome qualquer
um nome qualquer        um nome qualquer
        um nome qualquer
um nome qualquer um nome qualquer um nome qualquer—mas a aflição era tão grande que não se lembrava de nenhum!
Polifemo começava a ficar irritado, a ficar furioso:

—Então não sabes como te chamas? Como te chamas? COMO TE CHAMAS? COMO TE CHAMAS???

Ulisses, de cabeça perdida, só lhe soube responder:

—Como me chamo? Como me chamo? Sei lá. Olha, espera, chamo-me... Ninguém.

POLIFEMO—Ninguém?! Que diabo de nome te deram, pigmeu! Por isso tu não o querias dizer. E tinhas razão, lá isso tinhas! Olha que ideia, Ninguém...

E então de repente a cabeça caiu-lhe sobre o peito e adormeceu profundamente.

Ulisses e os companheiros reuniram-se logo no meio da caverna e combinaram o que haviam de fazer. O pedregulho que tapava a entrada era muito pesado e não conseguiram sequer movê-lo um centímetro. Se matassem o gigante, acabariam por ficar ali fechados para sempre. Mas se conseguissem que fosse o próprio gigante a afastar o pedregulho... E como?

Bom, primeiro resolveram retemperar as forças perdidas após tantos sustos e tanta aflição. Acabaram de assar o veado e comeram-no, beberam o leite das ovelhas e das cabras e descansaram um pouco. Depois pegaram num tronco de árvore fina que ali encontraram e afiaram-no muito bem na ponta. Nas cinzas da fogueira tornaram essa ponta incandescente. E então, todos à uma, apontando a ponta ardente na direcção do único olho do gigante adormecido, exclamaram UM ...

DOIS … TRÊS! E espetaram o tronco no olho mesmo a meio da testa!

O ciclope acordou aos urros, e mais furioso ficou quando percebeu que estava cego! Dava pulos tão grandes que batia com a cabeça no tecto

batia com a cabeça nas paredes

nas paredes                                      nas paredes

batia com a cabeça no chão!!!

Ainda matou alguns homens com esta sua fúria.

No meio da noite cerrada, os seus urros e gritos ecoavam de uma forma tremenda.

Ele atroava os ares:

—Acudam, meus irmãos! Acudam, meus irmãos!

Os ciclopes das outras ilhas acordaram estremunhados e disseram uns para os outros:

—É o Polifemo que está a chamar por nós, e está a pedir socorro. Temos de ir lá ver o que é, temos de lhe acudir!

E levantaram-se todos, e deitaram-se todos ao mar, e chegaram todos à porta da gruta onde morava o Polifemo. Chegaram escorrendo água e frio e ansiedade.

Disse um:—Metemos o pedregulho dentro!

Responderam os outros:—Não, não. Olha que ele pode estar com um dos seus ataques de mau génio e nós é que sofremos. Vamos perguntar o que lhe está acontecendo, e depois veremos.

E assim fizeram. A conversa que se seguiu foi esta:

—Ó Polifemo, o que tens?

—Ai meus irmãos, acudam-me, acudam-me!

—O que foi, Polifemo?

—Ai meus irmaos, acudam! Ninguém quer matar-me...

—Pois não, Polifemo, ninguém te quer matar.

—Não é isso, seus palermas! O que eu estou a dizer é que Ninguém está aqui e Ninguém quer matar-me!

—Pois é, rapaz! É o que nós estamos a perceber muito bem: ninguém está aqui e ninguém te quer matar...

—Não é isso, seus idiotas!...

E não havia maneira de se entenderem uns com os outros. Quando os ciclopes perceberam que o Polifemo estava já muito zangado, dizendo sempre aquelas mesmas coisas que eles já tinham ouvido, escorrendo ainda água e frio se foram retirando para as suas cavernas das outras ilhas, comentando entre si: «Ora esta! Que ideia, no meio da noite cerrada acordar-nos assim para nos dizer que ninguém estava lá e ninguém o queria matar... Coitado! Com certeza estava com alguma dor de dentes!»

E lá se foram todos embora para as suas cavernas longe. Ulisses estava radiante por ter tido aquela boa ideia de dizer que se chamava Ninguém. Embora entretanto tivesse sofrido um enorme susto ao sentir ali tão perto tantos ciclopes...

Mas como haviam eles de sair dali? Polifemo continuava a sua lamúria, agora mais calmo: «Não há direito! Fazerem-me isto a mim, que sou tão bonzinho! Pois deixem estar, que amanhã nem um só homem sairá desta caverna. Só o meu rebanho é que sai!»

Quando Ulisses ouviu isto, teve uma ideia: atar cada companheiro seu por baixo de cada ovelha, para assim no dia seguinte quando o rebanho abandonasse a caverna, os homens a abandonarem também sem perigo. E assim foi. Para ele, por não se poder atar a si próprio, guardou o carneiro mais lanzudo do rebanho a fim de se agarrar à sua lã quando passasse junto do Polifemo.

No dia seguinte, às apalpadelas, Polifemo retirou o pedregulho da entrada da gruta e pôs-se logo do lado de fora da abertura, de maneira a impedir a saída de qualquer homem que tentasse fugir. Chamou o rebanho, e afagando o dorso de cada animal que saía, não reparava, pois estava cego, que debaixo de cada um seguia um marinheiro grego...

Só já faltava Ulisses, agarrado com unhas e dentes à lã comprida do carneiro velho!

Ora acontecia que este carneiro era o preferido do Polifemo, que demorou ali um bocadinho a conversar com ele, queixando-se do que lhe tinham feito, como se o carneiro o pudesse compreender. Ulisses, em difícil equilíbrio, quase a desprender-se, quase a cair, fazia mil esforços para se aguentar naquela incómoda posição. E o Polifemo falando, falando... Até que se resolveu a deixar sair o carneiro e deu-lhe uma pancadinha amigável no dorso. Com tal pancadinha, Ulisses desequilibrou-se mesmo e caiu no meio do chão, mas logo se levantou e desatou a correr como doido pelos campos fora. O ciclope percebeu que alguém se tinha escapado, e ia a começar a correr atrás dos passos que ouvia, quando hesitou... pois se lembrou dos homens que estavam lá dentro. Preferiu perder este e apoderar-se dos outros todos. Ele não sabia, é claro, que já nenhum homem estava dentro da caverna, e que tinham saído atados à barriga dos animais do seu rebanho...

Quando percebeu que não havia homens dentro da caverna, e que tinha portanto sido enganado, não sabia como, Polifemo dirigiu-se em grandes passadas e com grandes gritos em direcção ao mar, para onde também os marinheiros, já soltos entretanto por Ulisses, se dirigiam correndo.

O ciclope avançava  a v a n ç a v a   a v a n ç a v a
a  v  a  n  ç  a  v  a ... ... ... ... ... ...

Os marinheiros corriam como cavalos bravos. Rápidos, rápidos, alcançaram o navio, subiram e afastaram-se mesmo a tempo... deixando o ciclope aos urros no meio da praia, desesperado de os ter deixado escapar, e clamando: «Ninguém! Ninguém! Ninguém!»

—Uff!—disse Ulisses.—Que cansado estou, de tantas emoções! Vou dormir um pouco.

Deitou-se e adormeceu.

Quando acordou, uma ilha se desenhava no horizonte e resolveram ir até lá.

Ao chegarem a terra, desembarcaram. Era a Eólia, onde foram muito bem recebidos por Eolo, o rei dos ventos. Este rei quis ajudar Ulisses a encontrar o caminho para Ítaca, e tentou também afastar dele e dos seus marinheiros os naufrágios e as tempestades que tão cruéis são sempre para as gentes do mar.

Ofereceu-lhe então um saco feito da pele de um dos seus maiores bois, e disse-lhe:

—Olha, Ulisses, aqui dentro fechei todos os ventos violentos do mundo, para que não te façam partidas e não te causem trabalhos e desventuras! Apenas deixei cá fora, livre, o Zéfiro, a brisa suave que tão agradável é para os marinheiros. Mas aviso-te: que ninguém saiba o que este saco contém, e que ninguém o abra, senão nem tu calculas o que poderá acontecer!!!

Ulisses agradeceu-lhe imenso tanta amabilidade e chamou logo quatro valentes marinheiros para com o maior cuidado transportarem o saco cheio de ventos para o navio.

Os marinheiros estranharam o peso levíssimo do saco e perguntaram a Ulisses:

—O que é que vai aqui dentro?

Ulisses respondeu:

—Não vos posso dizer o que é, mas peço-vos o maior cuidado com ele, senão uma grande desgraça nos acontecerá!

Os marinheiros calaram-se.

Prosseguiram viagem. Mas a verdade é que todos ardiam de curiosidade. O que teria aquele saco misterioso? E se espreitassem só um bocadinho? Assim não haveria mal nenhum...

Os dias sucediam-se e a curiosidade aumentava. Ulisses dormia sempre junto do saco, e era nele que repousava a cabeça quando adormecia. De dia também nunca se afastava dele. Que mistério seria aquele? Era esta a pergunta que os marinheiros traziam nos lábios e no pensamento a todo o momento. A curiosidade rebentava por todo o navio, que entretanto ia navegando num mar calmo e intensamente azul.

Um dia Ulisses estando a dormir deixou escorregar a cabeça para fora do saco! Os marinheiros olharam uns para os outros radiantes, e exclamaram baixinho:

—É agora! Vamos espreitar um bocadinho! Abrimos só uma nesga e depois tornamos logo a fechar!

Não resistiram mais e... nem vos conto o que então sucedeu! Os ventos violentos, furiosos de se verem há tanto tempo aprisionados dentro daquele saco, saltaram de lá cheios de raiva e força, revolveram os mares

agitaram as nuvens

revolveram os mares agitaram as nuvens

rebentaram em trovões

espalharam a chuva

espalharam a chuva

rebentaram em trovões

acenderam a terrível tempestade

e Ulisses acordou no meio da maior confusão de que jamais houve memória!

Viu o saco aberto e vazio, os marinheiros atirados borda fora, gritando, gemendo, uns já nadando no mar subitamente cor de cinza, outros sem saber onde se agarrar, e compreendeu tudo. Abraçou-se a uma enorme viga e tanto ele como alguns dos seus companheiros se viram lançados novamente a terra, e com surpresa sua, de novo à terra da Eólia.

O rei Eolo, furioso com a desobediência deles, não os quis receber, nem sequer ver.

Entretanto, o navio, com grandes estragos, era também atirado para as praias da Eólia. Eles o arranjaram o melhor que puderam e quando o temporal amainou fizeram-se de novo ao mar.

Alguns dias depois avistaram nova ilha e a ela aportaram. Ulisses estava tão cansado e desiludido que resolveu ficar no navio, enquanto os marinheiros iam dar uma volta pela terra.

Passaram dois, três dias, quatro dias... e já Ulisses começava a ficar inquieto sem saber o que teria acontecido aos amigos, quando de repente vê chegar um marinheiro chamado Euríloco, homem mais prudente que os companheiros, e que vinha correndo, correndo por uma encosta abaixo, com um certo ar de alarme.

—O que há, amigo?—perguntou-lhe Ulisses ansiosamente.

—Ai, Ulisses, Ulisses, que grande desgraça aconteceu!

—Mas o que foi? Conta lá depressa!

—Eu conto-te tudo. Ouve-me bem, Ulisses!

E Euríloco contou então que ao saírem dali começaram a encontrar muitos animais ferozes: leões, tigres, leopardos, elefantes... mas que em vez de mostrarem bravura, pelo contrário, se aproximaram deles e os olharam com um ar triste e suave, e até os foram acompanhando ao longo do caminho. Todos tinham estranhado tal coisa. A certa altura tinham avistado uma espécie de palácio no meio da floresta, e junto à porta, de pé, uma lindíssima mulher, ou deusa, ou feiticeira, sorrindo.

Todos tinham parado extasiados.

Então esta lindíssima mulher os tinha convidado a entrar no seu palácio onde logo viram grandes mesas cobertas das melhores iguarias que podiam sonhar. Eles, marinheiros pouco habituados a comidas tão suculentas e a doces tão finos, logo se tinham sentado e sob os olhares aprovadores da deusa tinham comido e bebido alegremente.

Ele, Euríloco, também.

Mas a certa altura, já no fim do banquete inesperado, a deusa apareceu com uma garrafa de licor na mão. Nesse momento, Euríloco, que isto estava agora a Ulisses contando, teve um pressentimento que não conseguia explicar, e escondeu-se atrás de uns espessos cortinados. E o que viu ele? A deusa serviu aquele licor aos marinheiros e no mesmo instante em que eles o beberam logo esqueceram o seu próprio nome, quem eram, qual a sua pátria, a sua família e o seu papel no mundo...

—Então—disse Ulisses—então... ficaram iguais aos animais!

—Pois foi isso mesmo—respondeu Euríloco.—E a deusa tocou neles com uma varinha e eles transformaram-se todos em... porcos!!!

—Em P O R C O S?!—gritou Ulisses.—Em PORCOS, os melhores marinheiros da Grécia? Os meus queridos companheiros? Isto é uma afronta que tem de ser vingada! E é já! Vou imediatamente salvar os meus companheiros de tantas desventuras e aventuras!

E não pensando que ia ao encontro do perigo, não pensando que o mesmo lhe podia acontecer a ele, Ulisses desatou a correr para a floresta, sem atender às súplicas e avisos de Euríloco.

De repente, mesmo na sua frente apareceu uma mulher fulgurante que lhe disse:

—Onde vais, Ulisses?

Ele parou e reconheceu-a: era Minerva, a deusa que nos momentos de perigo lhe aparecia sempre, aquela que, de entre todos os deuses que moravam no Olimpo, o reino acima das nuvens, e em que os Gregos acreditavam, era a sua especial protectora.

Ulisses virou-se para ela, indignado:

—E dizes tu, Minerva, que és a minha protectora! Como pudeste permitir que me acontecesse uma desgraça destas?!

—Acalma-te, Ulisses. Tu sabes quem te pregou esta enorme partida? Olha que foi Circe, a feiticeira de grande poder...

—Ah, é então Circe que se atravessa no meu caminho? Pois mesmo com o seu grande poder, ela não conseguirá vencer-me! Vou imediatamente falar com ela, e veremos!

Ulisses estava desvairado. E quando Minerva viu que nada conseguiria demovê-lo do seu intento, e que ele estava realmente disposto a tentar salvar os companheiros, embora correndo o risco certo de também cair vítima de tão poderosa e temível feiticeira, inclinou-se, arrancou do chão uma erva e disse-lhe:

—Toma, Ulisses, leva esta erva da vida. Ela te livrará
da má sorte.

Ulisses agradeceu e correu para a floresta.

De repente avistou um magnífico palácio, e lá estava
Circe à porta, sorrindo. Quando ela o viu, logo se apai-

xonou por ele, mas como ele era um simples mortal, estava disposta, embora com certa pena, a transformá-lo também num animal.

Convidou-o a comer, e o herói assim fez. Quando ela no fim da refeição foi buscar o licor e lho deu a beber, Ulisses bebeu-o de um só trago, e como graças à erva da vida não se esqueceu nem do seu próprio nome, nem da sua pátria, nem da sua família, nem do seu lugar neste mundo, quando Circe lhe tocou com a sua varinha, ele não se transformou em animal nenhum!

Circe caiu de joelhos, assombrada:

—Quem és tu, que assim resistes aos meus feitiços? És um deus? És um homem? Um deus não és, e se és homem, só podes ser Ulisses, o das mil astúcias...

—Pois sou mesmo Ulisses, e quero já aqui os meus companheiros queridos que tu transformaste em porcos!

—Em porcos, eu??!!—mentiu Circe.—Anda comigo —continuou—e vê se então reconheces os teus companheiros.

E levou Ulisses pela mão até às pocilgas onde vários porcos comiam sofregamente, atropelando-se nas gamelas. Ulisses, desesperado, olhou aqueles animais, e com raiva de não conseguir descobrir neles os seus amigos deu um tremendo pontapé a um, que se afastou grunhindo...

—Vês, Ulisses? Não são os teus companheiros! Porque não ficas tu aqui e não casas comigo?—perguntou-lhe ela.

—Aqui não quero ficar—disse ele tristemente—e não

posso casar contigo pois tenho minha mulher Penélope esperando por mim longe, na Ítaca.

Circe no entanto não o deixou partir. Passaram-se tempos, e um dia Circe disse-lhe:

—Vejo-te triste e pensando sempre no mar e na tua família. Vou deixar-te partir. Vou restituir-te os teus marinheiros, que são realmente aqueles porcos que tu viste nas minhas pocilgas um dia, e ainda outros: todos os animais das minhas florestas, que são outros tantos marinheiros que encantei com o meu poder. Eu sou tua amiga e gosto de ti, e não posso continuar a ver a tua tristeza. Segue pois o teu caminho para Ítaca. Só te peço uma coisa: dirige-te primeiro à Ilha dos Infernos e fala com o Profeta Tirésias. Ele sabe tudo o que se está a passar na tua terra, porque olha que graves coisas se estão passando lá. Prometes-me isto?

Ulisses prometeu logo. Os marinheiros voltaram à forma de homens (e um ainda vinha a coxear... do grande pontapé que Ulisses lhe dera quando estava transformado em porco!).

Alegremente consertaram o navio, despediram-se de Circe e fizeram-se ao mar.

Circe ainda lhes deu um outro conselho: quando chegassem ao princípio do mar das sereias, deviam parar de remar, e tapar muito bem os ouvidos com cera. E que não se esquecessem de o fazer rigorosamente, senão ninguém os poderia salvar do canto

e do encanto

das sereias! Elas sabiam como atrair os marinheiros para o fundo do mar e nunca nenhum lhes conseguira resistir.

Todos prometeram solenemente cumprir o que ela lhes recomendava.

E lá vão eles novamente entre onda e onda, em azul e verde, de contente coração.

Como tinha prometido a Circe, Ulisses começou por se dirigir à Ilha dos Infernos. Os marinheiros tremiam de medo ao avistá-la. Ele pediu-lhes que o desembarcassem ali e se afastassem para o largo. E quando quisesse de novo embarcar, lhes acenaria da praia.

Assim desembarcou Ulisses naquela ilha de desolação onde os Gregos acreditavam que apenas vagueavam as almas dos mortos, as sombras. Passa por entre enormes pedras negras, terras nuas, cinzas ainda quentes, buracos como vulcões adormecidos mas ainda fumegantes...

Na sua frente vê então a entrada de uma gruta. Olha o cão enorme de três cabeças que guarda a entrada dessa gruta, a entrada dos próprios Infernos. É Cérbero, o feroz. Ele conhece um segredo que Circe lhe revelara à partida: «Se o cão estiver com os olhos abertos, podes entrar, porque está a dormir; mas se estiver com os olhos fechados, não entres, porque está acordado!»

Ele olha e repara que o cão tem os olhos fechados. Espera um bocado longo, e a pouco e pouco os olhos do cão abrem-se: ele adormecera.

Então Ulisses entra sem medo no reino dos Infernos.

Então Ulisses entra sem medo pela gruta dentro e vê as sombras dos mortos. Elas não o sentem, não o vêem, nem o ouvem, nem lhe falam. Ulisses sabe que só comunicará com aquelas com quem ele quiser comunicar, se lhes oferecer carne de uma ovelha negra que leva ali com ele e Circe lhe dera. De repente vê a sombra de sua mãe, que ele imaginava ainda viva.

—Mãe, minha mãe!

Mas a sombra passou por ele sem o ver. Então Ulisses ofereceu-lhe a carne da ovelha negra e a mãe por uns momentos falou com ele:

—Meu filho, tu aqui neste lugar? Porque estás aqui neste lugar de morte e de tristeza? Também morreste já?

—Não, mãe, ainda não morri, mas tu...

—Foram os desgostos, a tua ausência enorme. E o teu pai está muito mal. Se não estás morto, corre para a tua pátria, não te demores mais! Graves coisas se estão passando por lá...

—O que é, mãe? Conta-me.

—Todos te julgam morto. Há cerca de dezoito anos que saíste de Ítaca, e há muitos anos que regressaram aos seus lares aqueles que, como tu, combateram na guerra de Tróia. Todos te julgam morto já, e as façanhas das tuas aventuras são cantadas por todo o teu povo. Ora, segundo a lei de Ítaca, como sabes, a tua mulher tem de procurar novo marido, tem de voltar a casar, tem de dar um novo rei à pátria...

—Penélope, casar??!!—gritou Ulisses.

—Ela não quer, e chora dia e noite. O teu filho Telémaco, que está um belo e vigoroso jovem, revolve os mares para ver se te encontra, sempre sem êxito.

Os pretendentes à mão da tua mulher começam a chegar ao teu palácio, vindos de todas as partes do mundo. Estão agora reunidos no grande salão, à espera que Penélope se decida a escolher um de entre eles...

—É inacreditável! Mas então ela já escolheu algum?

—Não, ela não escolheu nenhum, pois tem sempre a esperança de tu um dia voltares. Mas a paciência dos pretendentes é que é bem pequena. Exigiram-lhe um prazo. E ela lembrou-se de lhes dizer que escolheria um de entre eles quando acabasse de tecer uma teia que está fazendo para servir de mortalha ao teu pai quando ele morrer.

—Mas então deve estar quase a terminá-la...

—Sabes, Ulisses? Ela é muito esperta, porque de dia trabalha, trabalha, e todos a vêem trabalhar na teia, mas de noite desmancha tudo o que fez durante o dia...

—Oh, deuses, mas isso não se aguenta muito tempo! Tenho de lá chegar quanto antes! Adeus, minha mãe.

E Ulisses despediu-se da mãe e prosseguiu a sua viagem no reino dos Infernos.

Encontrou o Profeta Tirésias, com quem falou. Ele disse-lhe tal e qual o que sua mãe lhe dissera, e ainda acrescentou:

—Ulisses, o teu povo está arruinado, pois os pretendentes não fazem outra coisa senão caçar, correr, comer os teus rebanhos e a tua fruta, beber o teu vinho, gastar o que é teu... O povo sofre. Volta depressa para Ítaca. Só tu a podes salvar.

Ulisses agradeceu-lhe muito e continuou por aquela triste terra.

De repente viu um homem gigantesco metido numa lagoa, transpirando horrivelmente, abrasado de calor. Quando ele se inclinava para beber a água fresca, esta imediatamente lhe fugia dos lábios! Frutos apetitosos pendiam de árvores próximas, e quando ele estendia as mãos para os agarrar, eles se lhe escapavam por entre os dedos. Ulisses ofereceu-lhe um pouco da carne da ovelha negra e perguntou-lhe o que fazia ali e porque não conseguia ele beber aquela água que o rodeava, nem apanhar aqueles frutos que pareciam tão maravilhosos. Ele lhe respondeu então que se chamava Tântalo e fora cruel em vida. Sempre negara de beber e de comer aos que dele se haviam aproximado com sede e fome, e agora era aquele o seu eterno castigo: cheio de sede, desejar a água sem nunca a poder beber; cheio de fome, desejar os frutos, sem nunca os conseguir agarrar!

Ulisses despediu-se dele. Mais à frente encontrou Sí-

sifo, que fora outrora um rei desumano e estava agora
condenado a empurrar um enorme rochedo por uma encosta acima. Quando já estaya mesmo lá em cima...
o rochedo desprendia-se misteriosamente e vinha parar
cá
a
b
a
i
x
o.. ... .. .. .. .. .. ...

E Sísifo recomeçava a empurrar, a empurrar. O suor
caía-lhe pelo rosto, e ele tremia, suspirava.

Ulisses já não podia suportar por mais tempo o ambiente dos Infernos, e então saiu da gruta e dirigiu-se para a praia. Fez um sinal aos marinheiros e o navio aproximou-se. Entrou e logo se afastaram daquele local de aflição e de sombra.

Andaram, andaram por sobre as ondas dias e dias. Aproximava-se o mar das sereias.

Uma bela tarde os marinheiros pararam de remar e o navio ficou ali baloiçando no mar calmo. Ulisses admirou-se:

—O que aconteceu? Porque parais de remar?

Os companheiros responderam-lhe:

—Ulisses, vamos agora entrar no mar das sereias. Não te lembras do que Circe nos recomendou? Temos de colocar cera nos nossos ouvidos, senão morreremos todos!

Ulisses revoltou-se contra tal ideia:

—Cera nos ouvidos, eu??! Só se fosse doido! Eu não ponho cera nenhuma. Quero ouvir o canto das sereias. Dizem que elas encantam os marinheiros com a sua bela voz, e eu quero sentir esse encantamento.

—Não sejas louco, Ulisses! Vais morrer atraído por elas. Sabes bem como se sentem sós no fundo do mar, no meio da escuridão, e como precisam da companhia de quem por estas paragens passa... Sabes bem que nunca até hoje nenhum ser vivo se gabou de as ter ouvido e ter resistido aos seus encantos. Quem as ouve, tem de morrer!

Assim o avisaram prudentemente os amigos, aflitos com a sua teimosia. Ulisses não se convencia:

—Já vos disse que quero ouvi-las. Mas se temeis que eu não consiga resistir-lhes, então atai-me bem com cordas muito fortes ao mastro principal do navio, e assim, mesmo que eu queira ir ter com elas, não serei capaz de o fazer...

Os marinheiros não tiveram outro remédio senão atar Ulisses muito bem atado ao mastro. E depois, sentando-se nos seus lugares, de costas viradas para ele, recomeçaram a remar.

A princípio não se ouvia nada. Ulisses ria alto e pensava que Circe lhes tinha pregado uma boa partida. Os

companheiros, de ouvidos tapados com cera, nem o ouviam rir.

De súbito, um suavíssimo canto se elevou nos ares vindo do brilho das águas do mar, e logo outro e outro, e muitas vozes maravilhosas chorando e cantando o envolveram.

—Ulisses, Ulisses, Ulisses—percebeu ele nitidamente.

—Quem me chama? Quem me chama? Quem me chama?—gritou ele.

—Ulisses, sou eu, Penélope, a tua mulher, e estou aqui prisioneira das sereias...

—Tu aqui, Penélope??

—Vim num navio à tua procura, e as sereias agarraram-me! Salva-me, Ulisses!

—Parem, marinheiros, parem!!!—gritava Ulisses.—Parem!!

E torcia-se, tentando libertar-se das grossas cordas com que estava amarrado ao mastro grande. Os marinheiros não o ouviam e continuavam a remar, a remar, a remar... a r e m a r ...

—Ulisses, Ulisses, não passes junto de mim sem me salvar! Ulisses, Ulisses...

E o cântico chorava suavíssimo, violentíssimo, vindo de dentro das ondas, de dentro das cores, de dentro do vento.

Ulisses sofria pavorosamente. Fazia desesperados esforços para se soltar, e já uivava para os marinheiros:

—Parem!! Seus estúpidos! Parem!! Penélope está aqui e tenho de ir salvá-la! Parem!! Parem!!!

Mas os marinheiros não o ouviam, e de costas voltadas para ele, continuavam a remar, a remar, a remar, a remar, a remar, a remar, a remar, a remar, a remar, a remar, a remar, a remar, a remar, a remar, a remar, a remar, a remar, a remar, a remar, a remar, a remar...

E o cântico agora ao longe desaparecendo na distância inquieta: «Ulisses! Ulisses... Oh, Ulisses...»

Tudo acalmou de repente depois. Os marinheiros pararam, baixaram os remos, tiraram a cera dos ouvidos, espreguiçaram-se e... voltaram-se alegremente para trás.

Então ficaram suspensos, paralisados: Ulisses parecia um velho. Estava cheio de sangue e de suor. O esforço que fizera contra as cordas com que o tinham amarrado provocara por todo o seu corpo visíveis vergões. A angústia colava-se-lhe à cara.

—Que foi, Ulisses?!—espantaram-se eles.

—Vocês não ouviram? Não ouviram nada?

—Mas não ouvimos o quê? O que é que não ouvimos?

—Ah, meus amigos, foram as sereias, foram elas. Agora lembro-me de saber que elas imitam as vozes dos humanos para melhor atrair os mortais que por aqui passam...Ah, meus amigos, que tortura a minha!

E no seu íntimo agradeceu a Circe tê-los avisado daquele verdadeiro perigo.

A viagem continuou sempre acidentada.

Um dia tiveram de passar entre dois rochedos enormes:

um era como enorme boca
e outro como tremenda mão!

Um engoliu alguns marinheiros e o outro esborrachou--os entre os dedos poderosos.

De outra vez houve um violento naufrágio: e todos os poucos marinheiros que ainda acompanhavam Ulisses desapareceram entre as ondas revoltas.

Pela primeira vez ele se viu e se soube realmente
SÓ.

Aquele mar que tanto adorava parecia querer destruí--lo. O mar que era caminho parecia querer transformar--se em porta que se fechava sempre à sua frentc.

Único sobrevivente do último naufrágio, Ulisses é lançado às praias de uma ilha que não conhece. Desmaia e perde a memória.

É descoberto por Nausica, a linda filha do rei Alcino e da rainha Arete, que o acolhem na sua corte, sem suspeitarem sequer que ele seja o herói de quem se contam e cantam tantas e tão incríveis façanhas. Agora ele está na Córcira, a terra dos Feácios.

Um dia recupera a memória e é ele próprio que narra a sua história ainda não conhecida desde os acontecimentos de Tróia... Todos o escutam encantados e as maiores honras lhe são prestadas. Mas Ulisses só pensa em partir para Ítaca. Chegará ainda a tempo? O rei Alcino oferece-lhe um navio e marinheiros, e enche-o de presentes. Esse navio e esses marinheiros o conduzirão à sua pátria—promete.

E Ulisses agradece e parte.

Vão no alto mar, e Ulisses adormece. Enquanto o navio se vai aproximando cada vez mais de Ítaca, Ulisses dorme. Chegam a Ítaca e Ulisses não acordara ainda.

Os marinheiros colocam-no sobre a areia e deixam ao seu lado os presentes que o seu rei lhe oferecera. Cumprida a missão, regressam à Córcira.

E Ulisses dorme.

Quando acorda, vê-se de novo só no meio de uma praia imensa. Uma tristeza infinita o invade. Imagina outro naufrágio, mais uma vez o fim e o recomeço de tudo: cada vez mais longínqua a pátria. As lágrimas sobem-lhe aos olhos e sente-se perdido.

Nisto aparece-lhe a deusa Minerva:

—Alegra-te, Ulisses, estás na tua terra querida!

Nem quer acreditar no que ouve. Beija o chão, sente-se cheio de força, só pensa em partir para o seu palácio e em vingar-se dos pretendentes à mão de sua mulher e ao trono do seu reino!

Mas Minerva tem outra ideia. Ela transforma-o num mendigo roto, velho e triste, em quem ninguém reconheceria o valente, belo e manhoso Ulisses.

E assim será. Quando Ulisses bate momentos depois à porta da humilde casa de Eumeu, o seu feitor e amigo, este não o reconheceu. Por ele, Ulisses sabe que finalmente os pretendentes descobriram a manha de Penélope para nunca mais terminar a teia que estava tecendo; sabe que mais uma vez Telémaco partira à procura do pai, pelos mares fora, devendo estar prestes a chegar; sabe que o povo sofre fome e miséria por causa dos pretendentes e das suas exigências; sabe que Penélope ainda o ama e espera o impossível do seu regresso; sabe que o dia seguinte é o dia em que finalmente se decidirá quem fica sendo rei de Ítaca.

Eumeu acolhe Ulisses muito bem, julgando que ele é um estrangeiro. Chega entretanto Telémaco, da sua viagem, e regressa desanimado: não foi ainda desta vez que encontrou seu pai!

Eumeu sai de casa por momentos, e Ulisses revela-se a Telémaco tal como é, cheio de força e majestade.

Telémaco pensa que é um deus que lhe aparece e beija-lhe os pés, mas Ulisses diz-lhe:

—Sou o teu pai, Telémaco.

Caem nos braços um do outro, chorando de alegria. Combinam então tudo para o dia seguinte: Telémaco recolherá as armas dos pretendentes e seus criados, manhã cedo, sob o pretexto de precisarem de ser limpas. Na altura do ajuste de contas, Ulisses e o filho agirão ao mesmo tempo e matarão ou expulsarão os pretendentes!

Ulisses recomenda insistentemente:

—Não digas nada a ninguém. Não digas que eu regressei, nem mesmo à tua mãe.

O filho promete e parte logo para o palácio, onde a sua expressão triste sossega os pretendentes.

No dia seguinte, quando Ulisses novamente sob o aspecto de um mendigo velho e sujo se aproxima do seu palácio, ouve-se um alto latido de alegria: é o *Argus*, seu velhíssimo cão, o único ser vivo que o reconheceu logo, o seu antigo companheiro de caçadas e de brincadeiras. Estava muito doente, coberto de chagas, mal se tinha já em pé.

Ora quando os pretendentes ouviram o cão ladrar, ficaram muito admirados e dirigiram-se para a porta para ver o que era...

Ulisses, aflito por se ver reconhecido, segredou a *Argus*:

—Cala-te, cala-te!

Mas nem isso já era preciso, pois no momento em que os pretendentes chegaram à porta, o cão morria de emoção. O seu coração fraco não soubera resistir a tanta alegria. Ulisses, com as lágrimas nos olhos, diz, apontando para ele:

—Maldito cão! Queria morder-me...

Todos riem e acreditam nestas palavras. Começam a fazer troça do mendigo:

—Pudera! Com esse aspecto! O que vens tu cá fazer? Desanda já daqui para fora!

Ulisses, cheio de tristeza pela morte do cão, respondeu-lhes:

—Venho pedir esmola.

—Não te damos nada! Vai-te embora, vai-te embora!

Tanto barulho fizeram que Penélope apareceu indignada, no alto das escadas:

—Então já nem um pobre mendigo pode pedir esmola na minha casa? Entra, pobre velho, senta-te e come à vontade. E antes de seguires o teu caminho, vem falar comigo, que quero dar-te uma esmola.

Ulisses agradeceu, entrou e sentou-se a um canto. Teve de suportar heroicamente a troça e as risadas dos pretendentes, e no seu íntimo ia crescendo um terrível desejo de vingança. Ah, no dia seguinte veriam quem ele era! No dia seguinte... para a vingança ser ainda mais terrível. Conseguiu encher-se de paciência e suportar aqueles vexames em sua própria casa!

Quando acabou de comer, subiu as escadas e apresentou-se diante de Penélope. Ela, chorando, perguntou-lhe se acaso em suas viagens através do mundo não tinha sabido novas de Ulisses, seu esposo a quem muito amava. Ulisses ficou radiante, pois viu que ela só pensava nele, e respondeu-lhe emocionado:

—Foi há muito tempo que eu o vi, mas sossega, que em breve terás aqui o esposo querido.

Depois de lhe dar uma boa esmola, Penélope recomendou à velha ama Euricleia que lavasse os pés àquele mendigo, como era costume naqueles tempos, e que ele

dormiria aquela noite no palácio e no dia seguinte prosseguiria o seu caminho através dos caminhos do mundo.

Assim aconteceu. E quando Euricleia lavava os pés a Ulisses, descobriu de repente num dos joelhos dele uma estranha e profunda cicatriz que só Ulisses tinha, e lhe tinha sido feita há muitos anos por um javali, numa caçada. Logo levantou os olhos alarmada, e começou a clamar:

—Tu és Ulisses! Tu és Ulisses!

Ulisses estava mesmo à espera que isto acontecesse. Começou a rir e disse-lhe:

—Cala-te, Euricleia. Sou eu mesmo, sou, mas cala-te, para ninguém o saber! Nem mesmo a Penélope quero que digas que estou cá. Amanhã já toda a gente o saberá.

A velha mulher retirou-se doida de contente, e nem dormiu naquela noite.

No dia seguinte, Telémaco recolheu as armas dos pretendentes, como estava combinado.

O mendigo apareceu no meio destes pretendentes insolentes, e logo eles o insultaram sem razão, apenas porque essa era uma das maneiras que tinham para se divertirem.

O mendigo subitamente deixou cair os farrapos e surgiu Ulisses, mais dominador do que nunca! O espanto paralisou toda a gente que enchia o salão. A notícia começou logo a correr pelo povo, e uma grande multidão foi aparecendo às portas do palácio.

Todos queriam entrar mas ninguém se atrevia. É que lá dentro, Ulisses e Telémaco varavam sem cessar com as suas setas, um a um, os pretendentes.

As setas soltavam-se dos arcos a cantar e o pânico apoderou-se violentamente de todos. Muitos dos pretendentes tentaram alcançar as portas, mas era já impossível passar por elas... Ainda assim, houve uns mais jovens que logo no início da luta conseguiram escapar, e iam correndo correndo correndo correndo em direcção ao mar, onde embarcariam nos seus navios para nunca mais deles nada se ouvir...

Mas a maior parte lutava e perdia. Ulisses estava soberbo defendendo o seu povo, a sua casa, a sua pátria, a vida, a paz.

Penélope, do alto das escadas, seguia a luta ansiosamente. Ela ainda não sabia quem era aquele valente que lutava assim por ela, mas pressentia-o. Custava-lhe a acreditar em tamanha felicidade, tão habituada estava já ao sofrimento e à espera desesperada. Mas tinha de ser Ulisses, tinha de ser ele! Só ele lutaria assim desta maneira por amor dela!

E depois era já o povo todo que acorria e rebentava mesmo as portas, entusiasmado.

Era o povo que o queria ver, ajudar, lutar ao seu lado.

E depois era Telémaco, orgulhoso de seu pai e de si próprio.

E depois era Penélope que Ulisses abraçava para nunca mais deixar.

E depois era uma história
de um herói de mil façanhas
chamado  U L I S S E S
que viveu aventuras e desventuras e aventuras e desventuras e aventuras por terras e por mares desconhecidos.

Tão grandes foram essas suas aventuras e desventuras, que ele teve de as continuar vivendo dentro de si próprio, contente por assim ir navegando na grande e inesperada aventura de se sentir finalmente feliz.

*Impressão e Acabamentos:*
**EIGAL**
Rio Tinto – Portugal